123動物歌謠

讓有趣、可愛的動物朋友陪伴孩子認識１２３！

風車圖書出版
WINDMILL

" 認識 1-10 "

〔奇數〕：1.3.5.7.9
〔偶數〕：2.4.6.8.10

〔奇數〕
1

〔偶數〕
2

〔奇數〕
3

〔偶數〕
4

〔奇數〕
5

〔偶數〕
6

〔奇數〕
7

〔偶數〕
8

〔奇數〕
9

〔偶數〕
10

❝ 認識加法 ❞

★廚師端來一條吐司，現在有幾條？

2 + 1 = 3

★終點跑來三個小朋友，一共多少人？

2 + 3 = 5

★樹上飛來四隻鳥，現在有幾隻？

2 + 4 = 6

★草地跑來二匹馬，共有幾匹馬？

2 + 2 = 4

★五隻小鴨來池塘，總共有幾隻？

2 + 5 = 7

★花園飛來三隻蝴蝶，總共多少隻？

5 + 3 = 8

〝認識減法〞

★八塊餅乾吃了三塊，瓶裡還剩多少？

8 － 3 ＝ 5

★九隻蟬飛走三隻，樹上剩幾隻？

9 － 3 ＝ 6

★四個汽球，破了兩個還剩幾個？

4 － 2 ＝ 2

★六顆蘋果掉下兩顆，樹上剩幾顆？

6 — 2 = 4

★三尾魚被撈走兩尾，魚缸還剩幾尾？

3 — 2 = 1

★五隻青蛙，兩隻跳上岸還剩幾隻？

5 — 2 = 3

" 1隻兔子穿新衣 "

你ㄋㄧˇ數ㄕㄨˇ一ㄧ，

我ㄨㄛˇ數ㄕㄨˇ一ㄧ，

一ㄧˋ隻ㄓ兔ㄊㄨˋ子˙ㄗ，

穿ㄔㄨㄢ新ㄒㄧㄣ衣ㄧ。

"2隻兔子肚子餓"

你ㄋㄧˇ數ㄕㄨˇ二ㄦˋ，

我ㄨㄛˇ數ㄕㄨˇ二ㄦˋ，

二ㄦˋ隻ㄓ兔ㄊㄨˋ子ㄗˇ，

肚ㄉㄨˋ子ㄗˇ餓ㄜˋ。

你ㄋㄧˇ數ㄕㄨˇ三ㄙㄢ，

我ㄨㄛˇ數ㄕㄨˇ三ㄙㄢ，

三ㄙㄢ隻ㄓ兔ㄊㄨˋ子ㄗ，

去ㄑㄩˋ爬ㄆㄚˊ山ㄕㄢ。

4隻兔子看鷺鷥

你ㄋㄧˇ 數ㄕㄨˇ 四ㄙˋ，

我ㄨㄛˇ 數ㄕㄨˇ 四ㄙˋ，

四ㄙˋ 隻ㄓ 兔ㄊㄨˋ 子ㄗ˙，

看ㄎㄢˋ 鷺ㄌㄨˋ 鷥ㄙ 。

你ㄋㄧˇ數ㄕㄨˇ五ㄨˇ，

我ㄨㄛˇ數ㄕㄨˇ五ㄨˇ，

五ㄨˇ隻ㄓ兔ㄊㄨˋ子ㄗ˙，

在ㄗㄞˋ跳ㄊㄧㄠˋ舞ㄨˇ。

〝6隻兔子踢皮球〞

你ㄋㄧˇ數ㄕㄨˇ六ㄌㄧㄡˋ，

我ㄨㄛˇ數ㄕㄨˇ六ㄌㄧㄡˋ，

六ㄌㄧㄡˋ隻ㄓ兔ㄊㄨˋ子ㄗ˙，

踢ㄊㄧ皮ㄆㄧˊ球ㄑㄧㄡˊ。

7隻兔子漆油漆

你ㄋㄧˇ數ㄕㄨˇ七ㄑㄧ，

我ㄨㄛˇ數ㄕㄨˇ七ㄑㄧ，

七ㄑㄧ隻ㄓ兔ㄊㄨˋ子ㄗ˙，

漆ㄑㄧ油ㄧㄡˊ漆ㄑㄧ。

〝8隻兔子吹喇叭〞

你ㄋㄧˇ數ㄕㄨˇ八ㄅㄚ，

我ㄨㄛˇ數ㄕㄨˇ八ㄅㄚ，

八ㄅㄚ隻ㄓ兔ㄊㄨˋ子ㄗ，

吹ㄔㄨㄟ喇ㄌㄚˇ叭ㄅㄚ。

"9隻兔子抓蝌蚪"

你ㄋ一ˇ數ㄕㄨˇ九ㄐ一ㄡˇ，

我ㄨㄛˇ數ㄕㄨˇ九ㄐ一ㄡˇ，

九ㄐ一ㄡˇ隻ㄓ兔ㄊㄨˋ子ㄗˇ，

抓ㄓㄨㄚ蝌ㄎㄜ蚪ㄉㄡˇ。

25

" 10隻兔子找寶石 "

你ㄋㄧˇ數ㄕㄨˇ十ㄕˊ，

我ㄨㄛˇ數ㄕㄨˇ十ㄕˊ，

十ㄕˊ隻ㄓ兔ㄊㄨˋ子ㄗ˙，

找ㄓㄠˇ寶ㄅㄠˇ石ㄕˊ。

"1+1=2"

小ㄒㄧㄠˇ皮ㄆㄧˊ猴ㄏㄡˊ，

交ㄐㄧㄠ朋ㄆㄥˊ友ㄧㄡˇ，

交ㄐㄧㄠ到ㄉㄠˋ一ㄧ個ㄍㄜˋ好ㄏㄠˇ朋ㄆㄥˊ友ㄧㄡˇ，

兩ㄌㄧㄤˇ隻ㄓ小ㄒㄧㄠˇ猴ㄏㄡˊ手ㄕㄡˇ牽ㄑㄧㄢ手ㄕㄡˇ。

〝 1+2=3 〞

小ㄒㄧㄠˇ皮ㄆㄧˊ猴ㄏㄡˊ，

找ㄓㄠˇ朋ㄆㄥˊ友ㄧㄡˇ，

找ㄓㄠˇ到ㄉㄠˋ二ㄦˋ個ㄍㄜˋ好ㄏㄠˇ朋ㄆㄥˊ友ㄧㄡˇ，

三ㄙㄢ隻ㄓ小ㄒㄧㄠˇ猴ㄏㄡˊ摸ㄇㄛ摸ㄇㄛ頭ㄊㄡˊ。

〝1+3=4〞

小_{ㄒㄧㄠˇ}皮_{ㄆㄧˊ}猴_{ㄏㄡˊ}，

有_{ㄧㄡˇ}朋_{ㄆㄥˊ}友_{ㄧㄡˇ}，

他_{ㄊㄚ}有_{ㄧㄡˇ}三_{ㄙㄢ}個_{ㄍㄜˋ}好_{ㄏㄠˇ}朋_{ㄆㄥˊ}友_{ㄧㄡˇ}，

四_{ㄙˋ}隻_ㄓ小_{ㄒㄧㄠˇ}猴_{ㄏㄡˊ}演_{ㄧㄢˇ}玩_{ㄨㄢˊ}偶_{ㄡˇ}。

"認識加法"

1+4=5

小皮猴，想朋友...

"1+4=5"

小皮猴，

想朋友，

想到四個好朋友，

五隻小猴想郊遊。

"認識加法"

1+5＝6

小皮猴，交朋友...

"1+5=6"

小 ㄒㄧㄠ 皮 ㄆㄧˊ 猴 ㄏㄡˊ，

交 ㄐㄧㄠ 朋 ㄆㄥˊ 友 ㄧㄡˇ，

交 ㄐㄧㄠ 到 ㄉㄠˋ 五 ㄨˇ 個 ㄍㄜˋ 好 ㄏㄠˇ 朋 ㄆㄥˊ 友 ㄧㄡˇ，

六 ㄌㄧㄡˋ 隻 ㄓ 小 ㄒㄧㄠ 猴 ㄏㄡˊ 抱 ㄅㄠˋ 又 ㄧㄡˋ 摟 ㄌㄡˇ。

" 認識加法 "

1+6=7

小皮猴，找朋友...

"1+6=7"

小皮猴，

找朋友，

找到六個好朋友，

七隻小猴在遛狗。

"認識加法"

1+7=8

小皮猴，有朋友...

〝1+7=8〞

小ㄒㄧㄠ皮ㄆㄧ猴ㄏㄡ，

有ㄧㄡ朋ㄆㄥ友ㄧㄡ，

他ㄊㄚ有ㄧㄡ七ㄑㄧ個ㄍㄜ好ㄏㄠ朋ㄆㄥ友ㄧㄡ，

八ㄅㄚ隻ㄓ小ㄒㄧㄠ猴ㄏㄡ吃ㄔ蓮ㄌㄧㄢ藕ㄡ。

"認識加法"

1+8=9

小皮猴，想朋友...

ㄒㄧㄠˇ皮ㄆㄧˊ猴ㄏㄡˊ，

想ㄒㄧㄤˇ朋ㄆㄥˊ友ㄧㄡˇ，

想ㄒㄧㄤˇ到ㄉㄠˋ八ㄅㄚ個ㄍㄜˋ好ㄏㄠˇ朋ㄆㄥˊ友ㄧㄡˇ，

九ㄐㄧㄡˇ隻ㄓ小ㄒㄧㄠˇ猴ㄏㄡˊ想ㄒㄧㄤˇ玩ㄨㄢˊ球ㄑㄧㄡˊ。

"認識加法"

1+9=10

小皮猴，找朋友...

"1+9=10"

小ㄒㄧㄠ皮ㄆㄧˊ猴ㄏㄡˊ，

找ㄓㄠˇ朋ㄆㄥˊ友ㄧㄡˇ，

找ㄓㄠˇ到ㄉㄠˋ九ㄐㄧㄡˇ個ㄍㄜˋ好ㄏㄠˇ朋ㄆㄥˊ友ㄧㄡˇ，

十ㄕˊ隻ㄓ小ㄒㄧㄠˇ猴ㄏㄡˊ學ㄒㄩㄝˊ獅ㄕ吼ㄏㄡˇ。

〝認識加法〞

1+0=1

小皮猴，交朋友...

〝1+0=1〞

小<ruby>皮<rt>ㄆㄧˊ</rt></ruby><ruby>猴<rt>ㄏㄡˊ</rt></ruby>，

<ruby>交<rt>ㄐㄧㄠ</rt></ruby><ruby>朋<rt>ㄆㄥˊ</rt></ruby><ruby>友<rt>ㄧㄡˇ</rt></ruby>，

<ruby>沒<rt>ㄇㄟˊ</rt></ruby><ruby>有<rt>ㄧㄡˇ</rt></ruby><ruby>交<rt>ㄐㄧㄠ</rt></ruby><ruby>到<rt>ㄉㄠˋ</rt></ruby><ruby>好<rt>ㄏㄠˇ</rt></ruby><ruby>朋<rt>ㄆㄥˊ</rt></ruby><ruby>友<rt>ㄧㄡˇ</rt></ruby>，

<ruby>一<rt>ㄧˋ</rt></ruby><ruby>隻<rt>ㄓ</rt></ruby>小<ruby>猴<rt>ㄏㄡˊ</rt></ruby><ruby>孤<rt>ㄍㄨ</rt></ruby><ruby>零<rt>ㄌㄧㄥˊ</rt></ruby><ruby>零<rt>ㄌㄧㄥˊ</rt></ruby>。

〝10-0=10〞

十ㄕ隻ㄓ老ㄌㄠˇ鼠ㄕㄨˇ，

忙ㄇㄤˊ蓋ㄍㄞˋ屋ㄨ，

沒ㄇㄟˊ有ㄧㄡˇ離ㄌㄧˊ開ㄎㄞ和ㄏㄢˊ加ㄐㄧㄚ入ㄖㄨˋ，

十ㄕ隻ㄓ老ㄌㄠˇ鼠ㄕㄨˇ都ㄉㄡ忙ㄇㄤˊ碌ㄌㄨˋ。

"認識減法"

10-1=9

十隻老鼠，漆油漆...

十ㄕˊ隻ㄓ老ㄌㄠˇ鼠ㄕㄨˇ，

漆ㄑㄧ油ㄧㄡˊ漆ㄑㄧ，

一ㄧˋ隻ㄓ老ㄌㄠˇ鼠ㄕㄨˇ眞ㄓㄣ賴ㄌㄞˋ皮ㄆㄧˊ，

九ㄐㄧㄡˇ隻ㄓ老ㄌㄠˇ鼠ㄕㄨˇ刷ㄕㄨㄚ牆ㄑㄧㄤˊ壁ㄅㄧˋ。

"10-2=8"

十ㄕ隻ㄓ老ㄌㄠˇ鼠ㄕㄨˇ,

裝ㄓㄨㄤ窗ㄔㄨㄤ戶ㄏㄨˋ,

二ㄦˋ隻ㄓ老ㄌㄠˇ鼠ㄕㄨˇ去ㄑㄩˋ買ㄇㄞˇ壺ㄏㄨˊ,

八ㄅㄚ隻ㄓ老ㄌㄠˇ鼠ㄕㄨˇ幫ㄅㄤ忙ㄇㄤˊ扶ㄈㄨˊ。

"10-3=7"

十ㄕˊ隻ㄓ老ㄌㄠˇ鼠ㄕㄨˇ，

築ㄓㄨˊ籬ㄌㄧˊ笆ㄅㄚ，

三ㄙㄢ隻ㄓ老ㄌㄠˇ鼠ㄕㄨˇ吹ㄔㄨㄟ喇ㄌㄚˇ叭ㄅㄚ，

七ㄑㄧ隻ㄓ老ㄌㄠˇ鼠ㄕㄨˇ釘ㄉㄧㄥ好ㄏㄠˇ它ㄊㄚ。

♫

"10-4=6"

十ㄕˊ隻ㄓ老ㄌㄠˇ鼠ㄕㄨˇ，

砌ㄑㄧˋ花ㄏㄨㄚ圍ㄨㄟˊ，

四ㄙˋ隻ㄓ老ㄌㄠˇ鼠ㄕㄨˇ逗ㄉㄡˋ鸚ㄧㄥ鵡ㄨˇ，

六ㄌㄧㄡˋ隻ㄓ老ㄌㄠˇ鼠ㄕㄨˇ忙ㄇㄤˊ鋪ㄆㄨ土ㄊㄨˇ。

♪

57

〝10-5=5〞

十ㄕ隻ㄓ老ㄌㄠ鼠ㄕㄨ，

找ㄓㄠ食ㄕ物ㄨ，

五ㄨ隻ㄓ老ㄌㄠ鼠ㄕㄨ想ㄒㄧㄤ偷ㄊㄡ懶ㄌㄢ，

五ㄨ隻ㄓ老ㄌㄠ鼠ㄕㄨ曬ㄕㄞ稻ㄉㄠ穀ㄍㄨ。

"認識減法"

10-6=4

十隻老鼠，煮晚餐...

"10-6=4"

十ㄕ隻ㄓ老ㄌㄠ鼠ㄕㄨ，

煮ㄓㄨ晚ㄨㄢ餐ㄘㄢ，

六ㄌㄡ隻ㄓ老ㄌㄠ鼠ㄕㄨ出ㄔㄨ去ㄑㄩ玩ㄨㄢ，

四ㄙ隻ㄓ老ㄌㄠ鼠ㄕㄨ吃ㄔ飯ㄈㄢ糰ㄊㄨㄢ。

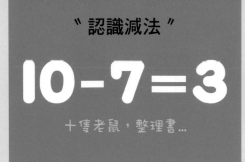

"10-7=3"

十ㄕˊ隻ㄓ老ㄌㄠˇ鼠ㄕㄨˇ，

整ㄓㄥˇ理ㄌㄧˇ書ㄕㄨ，

七ㄑㄧ隻ㄓ老ㄌㄠˇ鼠ㄕㄨˇ在ㄗㄞˋ打ㄉㄚˇ鼓ㄍㄨˇ，

三ㄙㄢ隻ㄓ老ㄌㄠˇ鼠ㄕㄨˇ歸ㄍㄨㄟ還ㄏㄞˊ書ㄕㄨ。

" 認識減法 "

10-8=2

十隻老鼠，搬床鋪...

〝10-8=2〞

十ㄕˊ隻ㄓ老ㄌㄠˇ鼠ㄕㄨˇ，

搬ㄅㄢ床ㄔㄨㄤˊ鋪ㄆㄨˋ，

八ㄅㄚ隻ㄓ老ㄌㄠˇ鼠ㄕㄨˇ想ㄒㄧㄤˇ睡ㄕㄨㄟˋ覺ㄐㄧㄠˋ，

二ㄦˋ隻ㄓ老ㄌㄠˇ鼠ㄕㄨˇ床ㄔㄨㄤˊ鋪ㄆㄨˋ好ㄏㄠˇ。

♫

65

" 10-9=1 "

十ㄕˊ隻ㄓ老ㄌㄠˇ鼠ㄕㄨˇ，

蓋ㄍㄞˋ好ㄏㄠˇ屋ㄨ，

九ㄐㄧㄡˇ隻ㄓ老ㄌㄠˇ鼠ㄕㄨˇ都ㄉㄡ喊ㄏㄢˇ苦ㄎㄨˇ，

只ㄓ有ㄧㄡˇ一ㄧ隻ㄓ沒ㄇㄟˊ有ㄧㄡˇ哭ㄎㄨ。

"奇數兒歌"

1、3、5、7、9

什麼是奇數...

"1、3、5、7、9"

什ㄕㄣ麼ㄇㄜ是ㄕ奇ㄐㄧ數ㄕㄨ？

不ㄅㄨ能ㄋㄥ成ㄔㄥ雙ㄕㄨㄤ和ㄏㄢ成ㄔㄥ對ㄉㄨㄟ，

1、 3、 5、 7、 9，

就ㄐㄧㄡ是ㄕ奇ㄐㄧ數ㄕㄨ。

＂奇數兒歌＂

一隻小象
好孤單

一隻小象，好孤單…

"一隻小象好孤單"

一隻小象，

好孤單。

來了三隻小象，

二隻小象成一雙，

還有一隻沒有伴。

"奇數兒歌"

小羊想找伴

五隻小羊，四隻小羊成兩雙…

"小羊想找伴"

五ㄨˇ隻ㄓ小ㄒㄧㄠˇ羊ㄧㄤˊ，

四ㄙˋ隻ㄓ小ㄒㄧㄠˇ羊ㄧㄤˊ成ㄔㄥˊ兩ㄌㄧㄤˇ雙ㄕㄨㄤ，

一ㄧˋ隻ㄓ小ㄒㄧㄠˇ羊ㄧㄤˊ獨ㄉㄨˊ自ㄗˋ走ㄗㄡˇ。

七ㄑㄧ隻ㄓ小ㄒㄧㄠˇ羊ㄧㄤˊ，

六ㄌㄧㄡˋ隻ㄓ小ㄒㄧㄠˇ羊ㄧㄤˊ成ㄔㄥˊ三ㄙㄢ雙ㄕㄨㄤ，

一ㄧˋ隻ㄓ小ㄒㄧㄠˇ羊ㄧㄤˊ想ㄒㄧㄤˇ找ㄓㄠˇ伴ㄅㄢˋ。

♬

73

大野狼想找
小綿羊

九隻大野狼，想找小綿羊…

"大野狼想找小綿羊"

九ㄐㄧㄡ隻ㄓ大ㄉㄚ野ㄧㄝ狼ㄌㄤ,

想ㄒㄧㄤ找ㄓㄠ小ㄒㄧㄠ綿ㄇㄧㄢ羊ㄧㄤ,

八ㄅㄚ隻ㄓ野ㄧㄝ狼ㄌㄤ成ㄔㄥ四ㄙ雙ㄕㄨㄤ,

雙ㄕㄨㄤ雙ㄕㄨㄤ對ㄉㄨㄟ對ㄉㄨㄟ結ㄐㄧㄝ伴ㄅㄢ去ㄑㄩ,

只ㄓ有ㄧㄡ一ㄧ隻ㄓ不ㄅㄨ成ㄔㄥ雙ㄕㄨㄤ。

〝2、4、6、8、10〞

什ㄕㄣˊ麼ㄇㄜ˙是ㄕˋ偶ㄡˇ數ㄕㄨˋ？

雙ㄕㄨㄤ雙ㄕㄨㄤ對ㄉㄨㄟˋ對ㄉㄨㄟˋ成ㄔㄥˊ偶ㄡˇ數ㄕㄨˋ，

2、 4、 6、 8、 10，

就ㄐㄧㄡˋ是ㄕˋ偶ㄡˇ數ㄕㄨˋ。

"偶數兒歌"

小狗牽手
去郊遊

二隻小狗，手牽手去郊遊...

"小狗牽手去郊遊"

二ㄦˋ隻ㄓ小ㄒㄧㄠˇ狗ㄍㄡˇ，

手ㄕㄡˇ牽ㄑㄧㄢ手ㄕㄡˇ去ㄑㄩˋ郊ㄐㄧㄠ遊ㄧㄡˊ。

四ㄙˋ隻ㄓ小ㄒㄧㄠˇ狗ㄍㄡˇ，

成ㄔㄥˊ雙ㄕㄨㄤ成ㄔㄥˊ對ㄉㄨㄟˋ來ㄌㄞˊ踢ㄊㄧ球ㄑㄧㄡˊ。

海鷗成雙
成對並排飛

六隻海鷗，二隻二隻並排飛…

" 海鷗成雙成對並排飛 "

六ㄌㄧㄡˋ隻ㄓ海ㄏㄞˇ鷗ㄡ，

二ㄦˋ隻ㄓ二ㄦˋ隻ㄓ並ㄅㄧㄥˋ排ㄆㄞˊ飛ㄈㄟ。

八ㄅㄚ隻ㄓ海ㄏㄞˇ鷗ㄡ成ㄔㄥˊ四ㄙˋ對ㄉㄨㄟˋ，

飛ㄈㄟ越ㄩㄝˋ大ㄉㄚˋ海ㄏㄞˇ避ㄅㄧˋ寒ㄏㄢˊ冬ㄉㄨㄥ。

〝偶數兒歌〞

烏龜在
池塘裡游水

十隻小烏龜，池塘裡游水…

「烏龜在池塘裡游水」

十ㄕˊ隻ㄓ小ㄒㄧㄠˇ烏ㄨ龜ㄍㄨㄟ，

池ㄔˊ塘ㄊㄤˊ裡ㄌㄧˇ游ㄧㄡˊ水ㄕㄨㄟˇ，

十ㄕˊ隻ㄓ烏ㄨ龜ㄍㄨㄟ是ㄕˋ五ㄨˇ對ㄉㄨㄟˋ，

不ㄅㄨˋ多ㄉㄨㄛ不ㄅㄨˋ少ㄕㄠˇ剛ㄍㄤ剛ㄍㄤ好ㄏㄠˇ。

21 22 23 24 25

26 27 28 29 30

31 32 33 34 35

36 37 38 39 40

41 42 43 44 45

46 47 48 49 50

51 52 53 54 55

56 57 58 59 60

61 62 63 64 65

66 67 68 69 70

71 72 73 74 75

76 77 78 79 80

81 82 83 84 85

86 87 88 89 90

91 92 93 94 95

96 97 98 99 100

123動物歌謠

- 社長 / 許丁龍
- 編輯 / 吳鳳珠、常祈天
- 設計 / 邱月貞、林黛妏、林恩發
- 印務 / 林華國　- 網站設計 / 林紀妏
- 出版 / 風車圖書出版有限公司
- 代理 / 三暉圖書發行有限公司
- 地址 / 114台北市內湖區瑞光路258巷2號5樓
- 電話 / 02-8751-3866
- 傳真 / 02-8751-3858
- 網址 / www.windmill.com.tw
- 劃撥 / 14957898
- 戶名 / 三暉圖書發行有限公司
- 出版 / 2005年4月初版